LA COLLECTION POUR **LES NULS** PRÉSENTE

L'Égypte

Auteur : Florence Maruéjol
Illustrations : Philippe Biard
Dessins humoristiques : Vivilablonde

Gründ

SOMMAIRE

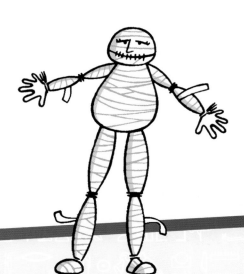

LE PAYS

Avec 6695 km, **le Nil est le plus long fleuve du monde.** Il est formé du Nil blanc, issu du Burundi et du Nil bleu dont la source est en Éthiopie.

CHAMPION DU MONDE

L'hippopotame femelle prête son aspect à **une déesse.** Repoussante et dangereuse, elle éloigne les forces du mal des femmes et des enfants.

LAIDE À FAIRE PEUR

Les archéologues font encore **de belles découvertes.** Récemment, sur la mer Rou[ge], ils ont mis au jour le port de Khéops, le constructeur de la grande pyramide.

DES EFFORTS RÉCOMPENS[ÉS]

Ce n'est pas la place qui manque

Vous voudriez écrire comme un scribe avec des oiseaux, des vaches ou des poissons ?
Vous aimeriez rencontrer les pharaons ?
Vous rêvez d'explorer une pyramide ?
Et vous n'avez pas peur des momies ?
Alors, attachez vos ceintures ! Nous vous emmenons à 3 000 km et à 4 heures et demie d'avion de Paris.
À l'arrivée, soyez prêts à voyager dans le temps.
Attention, le compte à rebours a commencé : moins 2000, moins 3000, moins 4000 et même moins 5000 ans !

LE SAVIEZ-VOUS ?

Il voit double

Sud et Nord, Vallée du Nil et Delta ou encore Haute-Égypte et Basse-Égypte, le pays reste divisé pendant toute son histoire entre ces deux grandes régions. Chacune a ses emblèmes et ses divinités. La couronne rouge, le papyrus, l'abeille, la déesse Ouadjet et le dieu Horus pour le Nord. La couronne blanche, le lys, le roseau, la déesse Nekhbet et le dieu Seth pour le Sud.

Horus   Seth   Ouadjet   Nekhbet

Cap sur l'Afrique

L'Égypte se trouve à l'extrémité nord-est de l'Afrique.
Au nord, elle fait trempette dans la mer Méditerranée, et à l'est dans la mer Rouge. Une bande de terre la rattache – et tout le continent africain avec elle – à l'Asie.
Qui étaient ses voisins au temps des pharaons ?
Au nord, les peuples de la Palestine et de la Syrie.
À l'ouest, des tribus de Libyens et au sud, les Nubiens.
Voilà, vous avez fait la connaissance des meilleurs ennemis de l'Égypte.

Jean-François Champollion est l'auteur
du **premier manuel de hiéroglyphes**
et de la première grammaire
de l'ancien égyptien.

Les habitations ruinées de la ville d'Amarna
et du village de Deir el-Médineh fourmillent
d'informations sur **la vie quotidienne**.

LES HIÉROGLYPHES SANS PEINE

DES MAISONS QUI PARLENT

Bienvenue en Égypte !

Ne perdez pas le nord

Comment se repérer ? Rien de plus facile. Suivez le Nil qui traverse l'Égypte du sud au nord. Au sud, il est bordé par deux étroits rubans de terre. C'est la vallée du Nil ou Haute-Égypte. Ne vous éloignez pas trop des rives du fleuve ! Très vite, à l'ouest comme à l'est, vous marcherez dans le sable ou dans les montagnes arides. Vous pénétrerez dans un immense désert qui occupe 96 % d'un pays grand comme deux fois la France ! Au nord, le Nil se divise en deux branches (sept autrefois) qui irriguent des terres bien grasses. Bienvenue dans le Delta ou Basse-Égypte !

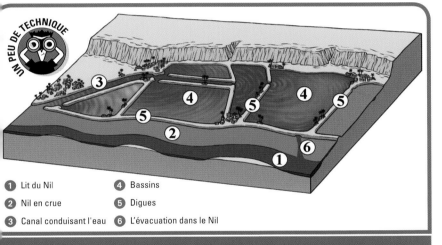

UN PEU DE TECHNIQUE

1. Lit du Nil
2. Nil en crue
3. Canal conduisant l'eau
4. Bassins
5. Digues
6. L'évacuation dans le Nil

Système d'irrigation par bassins

Poussez-vous, elle arrive !

Oubliez le parapluie, oubliez la météo ! Au programme : du soleil, encore du soleil. Et parfois quelques nuages. La pluie ? Elle est très rare au-delà de la côte méditerranéenne. Heureusement, le Nil joue les super-héros. Tous les ans, à partir de la mi-juillet, il déborde de son lit. Il est gonflé par les pluies d'Éthiopie, à plus de 2000 kilomètres au sud de l'Égypte. C'est la crue ! Elle recouvre bientôt les champs. Elle les fertilise aussi en déposant du limon (une boue très riche). Oui mais voilà : Madame fait des caprices. Des fois, elle monte trop haut, noyant villes et villages. D'autres fois, elle ne monte pas assez, laissant le sol assoiffé. Dans les deux cas, les récoltes sont mauvaises. Gare à la famine !

Pas 2, pas 4, mais 3 saisons

De quoi vivent les Égyptiens de jadis ? Du blé surtout. C'est pourquoi la culture des céréales rythme l'année de 365 jours. Elle s'ouvre avec la saison de l'inondation, de juillet à octobre. Vous aurez alors très, très chaud.

Suit la saison des semailles de novembre à février. N'oubliez pas votre petite laine : les nuits sont froides. Vient enfin la saison des récoltes de mars à juin. La température se réchauffe de plus en plus.

Bon ben comme l'année dernière et celle d'avant, on va pouvoir aller à la plage tous les jours.

Limite entre les terres cultivables et le désert à Louqsor.

▶ Qui va là ?

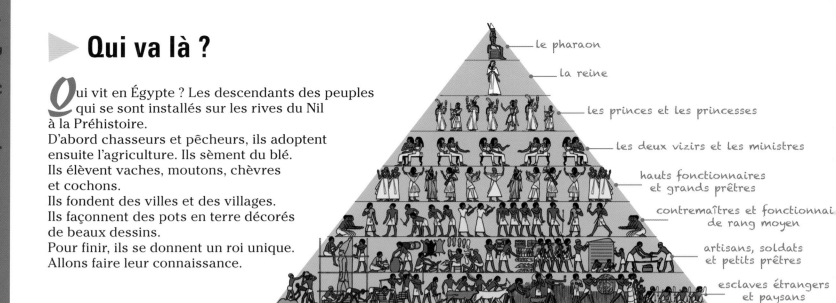

Q ui vit en Égypte ? Les descendants des peuples
qui se sont installés sur les rives du Nil
à la Préhistoire.
D'abord chasseurs et pêcheurs, ils adoptent
ensuite l'agriculture. Ils sèment du blé.
Ils élèvent vaches, moutons, chèvres
et cochons.
Ils fondent des villes et des villages.
Ils façonnent des pots en terre décorés
de beaux dessins.
Pour finir, ils se donnent un roi unique.
Allons faire leur connaissance.

le pharaon

la reine

les princes et les princesses

les deux vizirs et les ministres

hauts fonctionnaires
et grands prêtres

contremaîtres et fonctionnai
de rang moyen

artisans, soldats
et petits prêtres

esclaves étrangers
et paysans

Du haut de cette pyramide...

Imaginons que la société égyptienne ressemble à une pyramide.
Qui sont ces fourmis laborieuses à la base ? Ce sont les paysans qui nourrissent le pays.
Au Nouvel Empire (1540 – 1070 av. J.-C.), les esclaves, prisonniers de guerre, complètent la main d'œuvre.
Qui s'agite au-dessus d'eux ? Les serviteurs, les artisans, les soldats, les petits prêtres.
Ils obéissent à leurs chefs, les contremaîtres de tout poil, les officiers et les prêtres de rang moyen.
En montant encore, on croise les grands dignitaires : prêtres de haut rang, généraux et directeurs des administrations.
Au sommet se rassemblent les très sérieux ministres. Qui d'autre ?
Les princes et les princesses, puis la reine.
Enfin, à la pointe trône le roi ou pharaon.
Vite, courbez-vous en signe de respect avant qu'un garde ne vous y oblige avec un bâton !

Haut fonctionnaire
et son épouse,
coiffés de luxueuses
perruques bouclées,
vers 1360 av. J.-C.

Ils se marièrent et eurent beaucoup d'enfants...

Dans l'Égypte ancienne, on meurt souvent jeune. C'est pourquoi on se marie tôt et on engendre rapidement des enfants.

Les filles convolent à partir de 14 ans, les garçons vers 20 ans. Désolés, vous ne serez pas invités à la noce ! Non qu'on ne veuille pas de vous. Mais le mariage ne donne pas lieu à une cérémonie comme chez nous à la mairie ou à l'église. Qu'est-ce qui consacre alors l'union du couple ? L'entrée de la femme dans la maison du mari. Pour divorcer, c'est aussi simple. La femme reçoit une aide de son mari, car elle dépend complètement de lui.

En effet, peu de métiers sont ouverts aux femmes. Elles sont servantes, musiciennes ou danseuses. Il n'existe pas de femme fonctionnaire. Maîtresses de la maison, les Égyptiennes s'occupent du ménage et de la préparation des repas. Des domestiques aident les plus aisées. Et bien sûr, toutes élèvent leurs enfants.

Scribe ?!! Et puis quoi encore, le droit de vote ?

Le mari emmène sa femme dans sa maison. À l'extérieur s'empile la dot de l'épouse.

Combien sont-ils ?

Les textes se taisent au sujet du nombre d'Égyptiens. Les historiens se livrent donc à des estimations. D'un million vers 2400 av. J.-C., ils supposent que la population s'est élevée à trois millions vers 1250 av. J.-C., sous le roi Ramsès II ; puis à cinq millions vers 40 av. J.-C., sous Cléopâtre VII, la dernière reine d'Égypte. En 2012, le recensement a dénombré 90 millions d'habitants ! Quel changement !

Le lièvre peuple les zones herbeuses à la lisière du désert.

Ce n'est pas qu'un au revoir !

Jadis les Égyptiens côtoyaient de nombreux animaux sauvages. Mais le climat est devenu de plus en plus sec. La savane et ses herbes ont peu à peu disparu. Les marécages et les fourrés de papyrus aussi. Ainsi les craintives antilopes, les lions carnassiers, les voraces hippopotames, les dangereux crocodiles et les sages ibis s'en sont allés. Les vipères à cornes, les cobras et les scorpions ne les ont pas suivis. Dommage ! Mais rassurez-vous, vous ne les croiserez pas dans votre chambre d'hôtel !

Ma décision est prise, je pars. J'ai besoin d'eau, tu comprends ? D'eau !

Mais Bibiche, je t'ai installé un climatiseur !

Le crocodile était assimilé au dieu Sobek. C'est pourquoi il est coiffé ici du disque solaire.

▶ Truelle et pinceau, grammaire et dictionnaire

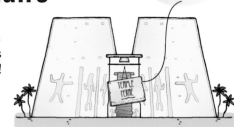

TEMPLE FERMÉ

Bien décidés à tout apprendre sur vos nouveaux amis égyptiens, vous vous glissez dans la peau d'un(e) égyptologue ! Vous endossez l'habit d'un(e) spécialiste de l'Égypte ancienne. Vous fouillez les monuments à la recherche d'indices. Et bien sûr, vous lisez les hiéroglyphes…

Étiquettes de jarres portant les premier hiéroglyphes issues de la tombe d'un r ayant vécu vers 3300 – 3200 av. J.-

Les bonnes choses ont une fin

Les pharaons disparaissent en 332 avant notre ère lorsqu'un roi grec, Alexandre le Grand, chasse le dernier d'entre eux. Trois siècles plus tard, les Romains s'emparent du pays. Convertis à la religion chrétienne, ils ferment les temples des dieux égyptiens en 392. Adieu ! La civilisation de l'Égypte antique tire sa révérence. Elle tombe dans l'oubli pour très, très longtemps.

Pièce de monnaie à l'image d'Alexandre le Grand, roi de Macédoine et conquérant de l'Égypte.

Pharaon lève-toi, lève-toi bien vite !

Soudain, il y a deux siècles, le réveil sonne. Dring, dring ! En Europe et surtout en France, des savants se passionnent pour les pharaons. Dans quel état pitoyable se trouvent alors leurs monuments ! Leurs pierres sont tombées au sol ou ont été emportées.
La terre et le sable les ont envahis. Tout est à dégager, à réparer et à étudier pour ranimer les pharaons. Quel travail !
Progressivement, l'archéologie s'organise. Elle devient scientifique.

Tous azimuts

Des missions égyptiennes et étrangères travaillent dans tout le pays. Avec des pioches et des paniers, elles retirent la terre couvrant les monuments. Pour ne pas abîmer les objets qu'ils mettent au jour, les archéologues les nettoient délicatement au pinceau. Ces objets racontent la vie quotidienne des Égyptiens. Grâce aux techniques modernes, des sites détruits reviennent à la vie. La magnétométrie, qui distingue les briques de terre du sol environnant, peut retracer le plan d'une ville entière ! Vive la science !

Les fouilles continuent actuellement dans le temple d'Aménophis III, à Louqsor.

En 1904, les fouilles de la cachette du temple de Karnak mettent au jour 751 grandes statues et des milliers de petites statues.

Détail de la Pierre de Rosette : hiéroglyphes et signes démotiques au-dessous.

Question pour un champion

ccumuler des inscriptions, c'est bien joli. Les lire, st mieux. Hélas, la clé des hiéroglyphes a disparu. our la retrouver, on demande un génie ! Vous levez main ? Trop tard ! Jean-François Champollion vous précédé. Les langues, c'est son affaire. Latin, grec, rabe, persan, chinois, il les dévore.

râce à la pierre de Rosette et à ses trois écritures : rec, hiéroglyphes, démotique (une écriture fondée ur les hiéroglyphes), en 1822, il lui arrache son secret. déchiffre les hiéroglyphes.

es grammaires et des dictionnaires facilitent aujourd'hui lecture des textes.

LE SAVIEZ-VOUS ?

Têtu comme Carter

Vous êtes sûr qu'il reste une tombe à trouver dans la Vallée des Rois, à Louqsor. Vous avez fouillé le site pendant cinq saisons. Rien. Il vous reste une dernière chance avant que votre patron, Lord Carnarvon, ne vous coupe les vivres. Vous choisissez un endroit où s'élèvent des cabanes antiques. Vous les faites démolir pour voir ce qu'elles cachent. Un ouvrier s'avance vers vous. Il a trouvé une marche d'escalier… Bravo, voilà la tombe que vous cherchiez ! C'est l'aventure qu'a vécue l'archéologue anglais Howard Carter en 1922. Il a découvert la tombe de Toutânkhamon. Le roi, mort à 18 ans, reposait encore parmi ses richesses : masque et cercueil en or, innombrables bijoux…

Statue en plâtre de Jean-François Champollion exécutée par le sculpteur Bartholdi en 1867.

Je t'assure, c'est écrit là : "Les petits frères doivent faire les corvées de leurs grandes sœurs à leur place."

Brique, brique, brique, tout est en brique

La baignade, oui, la noyade non ! Si les Égyptiens sont d'accord pour que la crue du Nil baigne leurs champs, ils refusent qu'elle noie leurs habitations. Ils élèvent donc leurs villes et leurs villages sur des îlots de sable ou des buttes de terre qui restent, normalement, au sec. Heureusement, car ils construisent leurs maisons avec un matériau qui n'aime pas du tout l'eau : la brique de terre crue.

Maison d'un artisan à Deir el-Médineh

À vos moules !

Pour ceux qui se sentent pousser des ailes de bâtisseur, voici la recette de la brique. Prendre une bonne quantité de terre. Ajouter de l'eau, du sable ou de la paille coupée en petits morceaux. Mélanger bien le tout avec vos pieds, vos mains ou une houe. Fabriquer un cadre de bois avec quatre côtés et un manche, mais pas de fond. Enfoncer ce moule dans la préparation. Retirer ce qui dépasse et égaliser la surface avec les doigts. Démouler les briques en les alignant les unes à côté des autres. Laisser sécher au soleil. Construisez ce que vous voulez !

Moule à briques.

Centre de la ville d'Amarna, avec le palais royal à droite et les temples du dieu Aton à gauche.

Les tabourets ? Au cas où on recevrait des amis pauvres, qu'ils se sentent comme chez eux.

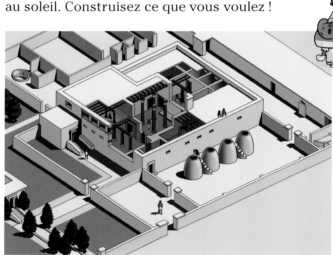

Maison d'un grand personnage à Amarna.

Logés à la même enseigne

Roi, reine ou simple paysan, tous les Égyptiens habitent une maison en brique de terre crue. La pierre, c'est bon pour les tombes et les temples bâtis pour l'éternité. Bien sûr, il y a des différences entre le palais du roi et la masure d'un paysan ! La taille d'abord. Le palais est très vaste. La maison d'un pauvre ne compte pas plus de trois ou quatre pièces. L'épaisseur des murs et du toit importe aussi beaucoup. Plus le mur est large, plus la demeure est isolée du froid et de la chaleur. Le toit est formé de troncs de palmiers recouverts de nattes et de terre. Des colonnes et des encadrements de porte en pierre ainsi que des peintures et des faïences sur les murs et parfois aussi sur le sol ornent le palais. Dans les petites maisons, on ne fait pas de chichis. Plus on s'élève dans la société, plus la maison est grande et bien meublée.

Ruines d'un palais royal au nord d'Amarna.

Transport du lit et d'un coffre appartenant au défunt.

Soigner son confort

Quel meuble choisir ? Voilà une question qui n'embarrasse pas les pauvres. Ils dorment à même le sol ou sur une natte en roseau. Leurs sièges sont de simples tabourets de bois à trois pieds ou de petits blocs de pierre. Pour le rangement, des corbeilles font l'affaire. Plus exigeants, les riches calent leur postérieur sur des fauteuils ou des chaises. Ils se reposent sur des lits. Ils ne possèdent pas d'oreiller mais un appuie-tête ou chevet. Pour ranger vêtements, objets de toilette ou bijoux, ils disposent de coffres de bois décorés de peintures.

Coffre identique à celui qui est peint ci-dessus.

Amphore ornée de guirlandes de fleurs peintes.

Fragment de jarre avec une inscription hiératique identifiant la viande que contenait le récipient.

LE SAVIEZ-VOUS ?

Une histoire de pots

Non ! Ne jetez pas ce morceau de pot cassé ! On l'appelle un tesson. D'accord, à première vue, il a l'air bon pour la poubelle. Et pourtant : les récipients en terre cuite, comme les vases ou les coupes, suivent les caprices de la mode. Ils changent sans cesse de forme, de composition et de décor. On sait donc précisément à quelle poterie appartenait le tesson et à quelle époque il remonte. Les archéologues raffolent des pots cassés, car ils datent précisément les maisons et les monuments dans lesquels ils se trouvaient.

L'ÉGYPTE AU TRAVAIL

Les Égyptiens ont commencé à **cultiver des céréales** et à **élever des animaux** à partir de 6500 av. J.-C. environ.

Dans les tombes des dignitaires, des peintures et des petites maquettes montrent les paysans, les ouvriers et les artisans **au travail**.

Les meubles, les outils, les vêtements ou encore les bijoux que l'on admire aujourd'hui dans les musées proviennent aussi **des tombes**.

LA TERRE AUX PAYSANS

LE MONDE DU TRAVAIL

DES OBJETS DE COLLECTION

Deuxième partie : L'Égypte au travail

Des bouches à nourrir

Invités par les Égyptiens, vous savez maintenant où ils vivent. Mais à quoi occupent-ils donc leurs journées ? Tandis que les femmes et les fillettes prennent soin de la maison, les hommes travaillent à l'extérieur, dans les champs, dans des ateliers ou dans des bureaux. Les garçons les plus chanceux fréquentent une école. Les crâneurs !

Pain + bière = céréales

Pour nourrir leurs semblables, que font pousser les paysans ?
Des fruits et des légumes qu'ils cultivent dans des potagers divisés en petits carrés. Ils élèvent aussi du bétail pour procurer de la viande aux plus riches.
Les pêcheurs fournissent des poissons du Nil, les chasseurs du gibier. Mais la majorité des Égyptiens consomment surtout du pain. Et que boivent-ils ? De l'eau naturellement, mais ils n'ont rien contre une bonne bière, au contraire.
Pour fabriquer le pain et la bière, ils cultivent des céréales : du blé amidonnier et de l'orge.

Paysan labourant un champ avec un araire tiré par deux bœufs.

Arpenteur penché sur une borne délimitant un champ.

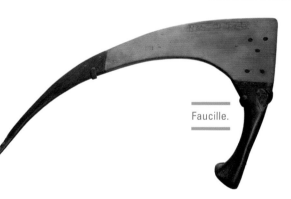

Faucille.

Récolte du blé avec une faucille.

Heho, on s'en va au boulot

Suivez les paysans.
Dès que la crue du Nil s'est retirée, ils prennent le chemin des champs. Panier de semailles sur l'épaule, ils jettent le grain à la volée. Si nécessaire, ils ont d'abord retourné la terre avec une houe ou un araire tiré par des bœufs. Mais parfois l'araire n'intervient que pour enfoncer le grain.
À moins que cette tâche ne revienne à un troupeau de moutons, d'ânes ou de cochons. Meuh ! Meuh ! Trop lourds, les bœufs sont disqualifiés.
Ils enfouiraient le grain trop profondément.

Un scribe est un homme qui sait lire et écrire.
C'est un fonctionnaire qui appartient
à l'administration de l'État et à celle des temples.

UN EMPLOI GARANTI

Les pièces de monnaie n'apparaissent
en Égypte qu'à partir de la XXXe dynastie
(380 – 342 av. J.-C.).

ON S'EN EST LONGTEMPS PASSÉ

Au travail !

Les bons comptes ne font pas toujours de bons amis

Avant de couper les céréales, les paysans voient arriver les arpenteurs. Voilà une visite dont ils se passeraient volontiers. Par qui ces hommes sont-ils envoyés ? Par l'administration des impôts. Autant dire que ce ne sont pas des plaisantins. Équipés de cordes, ils mesurent les champs. Les fonctionnaires se fonderont sur leurs calculs pour évaluer la récolte. Ils fixeront la taxe due par les paysans et par les propriétaires des champs. Impossible de tricher !

À l'aube, à l'heure où blanchit le soleil...

Pour participer aux moissons, levez-vous très tôt. Attrapez une gerbe et coupez les tiges sous l'épi avec votre faucille. Des ânes ou des paysans transportent ensuite la récolte dans des paniers vers l'aire de dépiquage. Guidez maintenant les bœufs qui écrasent les épis pour séparer la tige des épillets contenant les grains. Ensuite, avec un van, une sorte de coupe, jetez les épillets en l'air. Le vent emporte la paille et les impuretés. Un nettoyage à la main complète l'opération. Il ne vous reste plus qu'à expédier les céréales vers les greniers.

Paysans transportant le blé après la récolte.

Panier et vans.

Vannage des grains avec des vans.

Paysans remplissant un grenier avec le blé et scribes comptabilisant les grains.

LE SAVIEZ-VOUS ?

Ils font les poubelles

Sans camion-benne, comment les Égyptiens évacuent-ils leurs ordures ménagères ? Ils les jettent dans le Nil. S'ils sont éloignés du fleuve, ils s'en débarrassent à l'extérieur des villages où elles forment des tas. Pour la plus grande joie des archéologues qui fouillent aujourd'hui ces poubelles : elles renferment de vrais trésors ! Ni bijoux, ni or, mais des restes qui renferment de précieuses informations. On y trouve par exemple des os de cochon. Ils nous apprennent que les Égyptiens en mangeaient assez régulièrement.

C'est moi qui l'ai fait

Opération portes ouvertes. Prenez votre carton d'invitation. Les artisans et les artistes vous accueillent dans leurs ateliers ou sur leurs chantiers. Ne vous attendez pas à rencontrer des célébrités comme Michel-Ange ou Pablo Picasso ! Dans l'Égypte ancienne, les artisans et les artistes travaillent en équipe. Ils ne signent donc pas leurs œuvres. Ils ne sont pas à leur propre compte, mais ils sont employés par le roi, par l'État, par les temples et par les riches dignitaires.

INCROYABLE ! LE 1ER MEUBLE 2 EN 1 LA BAIGNOIRE QUI DEVIENT SARCOPHAGE

Etablis, Menuisier sur mesure. 30, Gd Place

Tu seras artisan, mon fils !

Les garçons apprennent généralement le même métier que leur père. Pendant leur apprentissage, ils rendent de menus services. Ils effectuent le nettoyage par exemple. Artisans et artistes ne possèdent pas leurs outils. Leur patron les leur fournit en même temps que la matière première, pierre, métal, cuir... Ce sont en majorité des hommes. Les femmes interviennent seulement pour filer la fibre de lin et tisser des étoffes. Sur leur temps libre, les ouvriers confectionnent des objets qu'ils vendent à leur entourage ou sur le marché.

Atelier de tissage : femmes filant le lin avec un fuseau, déroulant le fil entre des chevilles fixées au mur et tissant sur un métier.

Boum, boum, boum !

Attention aux oreilles ! Ici, ce sont les menuisiers qui fabriquent les meubles pour la maison, mais aussi les sarcophages pour la tombe. Chacun remplit une tâche précise. L'un scie les poutres de bois, un autre façonne un morceau de bois avec son herminette, sorte de petite hache. Un troisième perce des trous avec un foret tandis qu'un camarade enfonce des chevilles à coup de maillet.

Atelier de menuisiers, hache et deux herminettes.

Artisans faisant fondre du bronze et le coulant dans un moule pour fabriquer une figurine.

Là, ce sont les bronziers qui font chauffer le bronze. Ils coulent le métal fondu dans des moules pour produire des statuettes. Ou ils frappent des feuilles de métal pour modeler la vaisselle. Ailleurs, ce sont les potiers qui pétrissent l'argile. Ils lui donnent la forme de jarres, d'amphores ou de coupes. Puis, ils font cuire ces objets dans un four. D'autres artisans taillent la vaisselle de luxe dans la pierre. Plus loin, voici l'atelier du cuir où les cordonniers produisent les sandales.

C'est joli la vaisselle en pierre, mais c'est lourd !

Dessinateur, sculpteur et peintre

Ouah ! Vous admirez le dessinateur qui trace d'un trait sûr les contours d'un personnage et des hiéroglyphes sur un mur. Il se repère grâce aux lignes rouges du quadrillage tracé sur la paroi. Un sculpteur le suit. Il enlève la pierre à l'intérieur ou à l'extérieur des contours du dessin. Il réalise ainsi un relief dans le creux ou en saillie. Un peintre termine l'œuvre en la revêtant de couleurs vives. Vous voici maintenant devant les sculpteurs qui réalisent les statues. Sur le bloc de pierre, ils dessinent le personnage. Puis avec des ciseaux et un maillet, ils détachent la pierre en suivant les traits. Pour finir, ils polissent l'œuvre avec du sable et une pierre dure.

Étapes du décor d'une tombe royale : quadrillage de la paroi, dessin des motifs, sculpture et peinture.

Coupes contenant encore les couleurs utilisées par les peintres.

Mets-toi de profil ma chérie. Tu sais bien que j'y arrive mieux comme ça.

LE SAVIEZ-VOUS ?

Irtyseniker a la parole

L'artiste Irtyseniker a vécu il a y a 4000 ans. Sur une stèle (dalle de pierre) du musée du Louvre, il se vante de son savoir-faire : « Je connais le secret des hiéroglyphes. Je connais le pas de la statue d'homme, la démarche de la statue de femme, la posture du prisonnier isolé, le strabisme des yeux, l'expression de la terreur chez les vaincus, le port du bras de l'harponneur d'hippopotame et la démarche de la course ».

▶ Ça prend une ou deux chouettes ?

*N*e piaffez plus d'impatience ! Attrapez votre crayon ! Vous allez écrire vos premiers hiéroglyphes. Vous allez tracer les signes d'une écriture qui est née il y a 5300 ans sur les bords du Nil. Comme les petits Égyptiens, si vous travaillez bien à l'école, vous deviendrez peut-être ministre de pharaon ou grand prêtre d'un temple…

Cui, cui, cui…

Les hiéroglyphes sont des dessins représentant des oiseaux, des poissons, des mammifères, des hommes, des femmes, des plantes, des édifices ou encore le soleil et le ciel… Bref, ils sont inspirés du monde dans lequel vivent les Égyptiens.
Certains signes notent des mots. Ainsi, le dessin du taureau correspond au mot taureau, « ka ».

Les divinités de l'écriture

Séchat   Thot

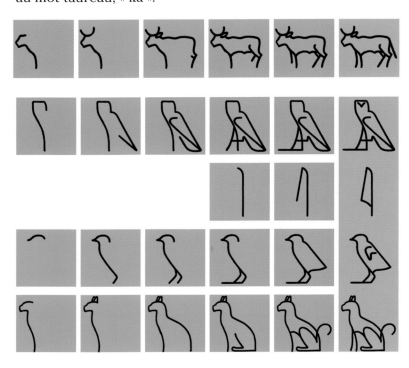

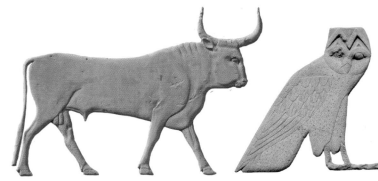

Les hiéroglyphes correspondent aussi à des sons.
La chouette se dit « m ». Avec ces sons, on compose aussi des mots. Pour écrire « le chat » on utilise les sons « m », « i », et « ou », miou ! Un « m » suffit ! À la fin du mot, on ajoute le dessin d'un chat pour le lire plus facilement.
Il existe une liste de 24 sons notant une lettre. Comme notre alphabet. Pourquoi les Égyptiens ne l'ont pas adopté pout tout écrire ?
Parce qu'ils étaient contents de leur système. Ah, mais !

Atelier d'écriture
Dessinez le signe du taureau et écrivez le mot « miou » ou chat en suivant les différentes étapes du dessin des hiéroglyphes.

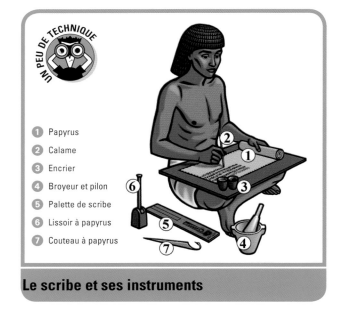

UN PEU DE TECHNIQUE

1 Papyrus
2 Calame
3 Encrier
4 Broyeur et pilon
5 Palette de scribe
6 Lissoir à papyrus
7 Couteau à papyrus

Le scribe et ses instruments

On ignore le nom du célèbre scribe accroupi du musée du Louvre qui était un haut fonctionnaire.

Ne va pas à l'école qui veut

Les petits veinards qui accèdent à l'instruction sont souvent des fils de scribes, c'est-à-dire de fonctionnaires. Les écoles ne sont pas publiques. Elles sont rattachées au palais royal, aux administrations, aux ministères, aux temples. Bref, elles se trouvent dans des institutions qui forment leurs propres scribes. Que rédigent-ils ? Beaucoup de comptes, des lettres, des comptes-rendus de procès, des livres de médecine, de magie ou d'astronomie, des prières aux dieux.

Le papyrus porte une copie en hiéroglyphes du *Livre des Morts*, guide de l'au-delà.

LE SAVIEZ-VOUS ?

Quels prétentieux, ces hiéroglyphes !

Tous les textes ne sont pas écrits en hiéroglyphes. Véritables dessins, ils sont longs et difficiles à tracer. Les scribes ont donc mis au point deux écritures pour tous les jours : le hiératique, puis le démotique. Leurs signes viennent directement des hiéroglyphes. Ils sont très simplifiés. Les beaux hiéroglyphes se réservent les monuments : temples, tombes, statues, stèles. Ils daignent aussi décorer les meubles, les cercueils et les bijoux.

Sur la tablette d'écolier figure un exercice en hiératique.

Palette de scribe.

L'oreille du garçon est sur son dos

Les écoliers commencent leurs études à 6 ans. Ils s'initient d'abord à la lecture et à l'écriture. Viennent ensuite le calcul, un peu de géographie et, selon le métier auquel l'élève est destiné, des notions de médecine, d'astronomie ou de religion. Gare aux maîtres ! Ils sont très sévères. Pour aider les étourdis ou les rêveurs à écouter ou à travailler, paf, un petit coup de bâton sur le dos ! C'est pourquoi ils disent que l'oreille de l'élève se trouve sur son dos. Mais comme bien sûr vous êtes sage et attentif, vous échapperez à ce vilain traitement.

T'as qui comme prof, cette année ?

Le plus méchant.

Au Ramesseum, temple bâti par Ramsès II, était annexée une école.

▶ Le blé, c'est pour payer

Pour votre voyage dans l'Égypte ancienne, prenez votre calculette, mais n'emportez pas votre tirelire. Laissez votre argent à la maison. Les Égyptiens n'utilisent ni pièces de monnaie, ni billets. Mais alors comment sont versés les salaires ? Comment paie-t-on ses achats ? En faisant de savants calculs.

Sur le marché, on vend et on achète des aliments et des objets comme ceux qui attirent la fillette.

Empilement de nourriture et panier en feuille de palmier.

N'y allez pas les mains dans les poches

C'est jour de paye dans le village des artisans et des artistes qui creusent et décorent les tombes de la Vallée des Rois, à Thèbes (actuelle Louqsor). Sur un registre, un scribe note ce que reçoit chaque ouvrier. Par chance, les archéologues ont retrouvé les brouillons de ces documents, jetés après que le scribe les a copiés au propre sur un papyrus. Le salaire est versé chaque mois. Il consiste surtout en rations de blé et d'orge. Il comprend aussi des poissons, des fruits et des légumes, du lait et de l'huile, plus rarement de la viande. Aux denrées s'ajoutent des vêtements et des sandales, du bois pour allumer le feu et faire la cuisine et des poteries. Mieux vaut prévoir un grand cabas pour transporter son salaire !

Qui veut mon beau poisson ?

Pour vendre leurs produits ou se procurer ceux qui leur manquent, les Égyptiens se rendent sur le marché. Ils peuvent aussi passer commande directement à un artisan. Comme on l'a vu, il réalisera l'objet pendant son temps libre. Le marché est animé. Des toiles ou des nattes tendues entre des piquets abritent les vendeurs et leurs marchandises du soleil. Ici, c'est un pêcheur qui vante la qualité de son poisson. Là, une femme qui vend les sandales en papyrus fabriquées par son mari.

Village de Deir el-Médineh : en bas, un grand mur d'enceinte entoure les maisons.

Le juste prix

Vous trouvez l'objet de vos rêves sur le marché. Comment le payer ? D'abord, vous ferez une estimation précise du prix en vous référant au dében. Il s'agit d'une unité de poids qui correspond à 91,6 grammes. Pour évaluer la valeur des biens, on se fonde sur le dében de cuivre, d'argent et plus rarement d'or. Il fonctionne comme une monnaie, sauf qu'on ne l'utilise pas pour payer. Il ne sert qu'à établir le prix. C'est comme si nous fixions le prix en euros, mais sans payer avec eux. Un âne vaut entre 20 et 40 débens de cuivre, un bœuf 120 débens, un cercueil décoré 145 débens et une jeune esclave 410 débens. L'acheteur donne au vendeur différentes marchandises qui totalisent le même prix. Vous pouvez lui proposer des vêtements, de la vaisselle, du miel…

Poids d'un dében de cuivre.

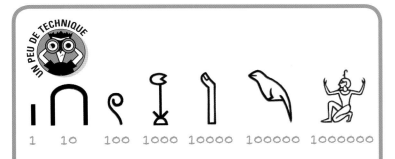

Faites vos comptes Pour écrire les nombres, on commence par les chiffres les plus hauts : les millions, les milliers, les centaines, les dizaines et on termine par les chiffres de 1 à 9. Si l'on veut noter 4 dizaines, on répète quatre fois le signe de la dizaine. On fait la même chose avec les autres signes.

Commerce au long cours

Le pharaon a la haute main sur le commerce avec les pays étrangers. Contre des produits fabriqués en Égypte, il acquiert des matières premières. En Syrie, par exemple, il achète du cèdre et du pin, bois de bonne qualité qui font défaut à l'Égypte. De Nubie, il fait venir du bois d'ébène, des défenses d'éléphant, des plumes d'autruche et de l'or.

Nubiens apportant leurs produits à l'Égypte.

184 687 s'écrit ainsi :

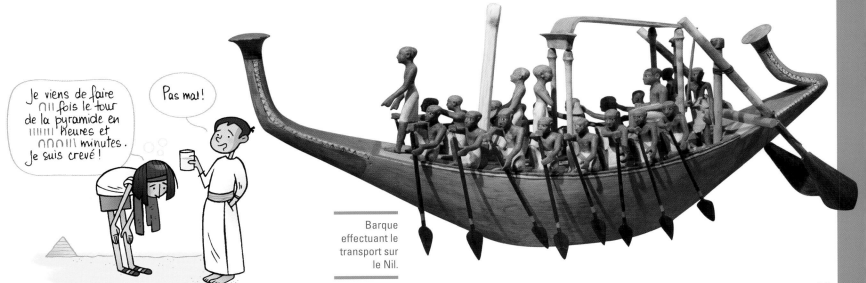

Barque effectuant le transport sur le Nil.

PHARAON

Longueur : 72,77 m, hauteur : 20 m
À Guiza, le **roi Khéphren** fait sculpter le Sphinx, la plus grande statue d'Égypte.

VERS 2550 AV. J.-C.

C'est écrit sur les murs
Le roi Ounas est le premier à décorer l'intérieur de sa pyramide avec les Textes des Pyramides favorisant sa renaissance.

VERS 2350 AV. J.-C.

Par ici, la Nubie !
Le pharaon **Sésostris Ier** domine toute la Basse-Nubie, au sud de l'Égypte, et y construit des forteresses.

VERS 1920 AV. J.-C.

▶ Y-a-t-il un pilote sur le trône ?

Un seul homme détient tous, je dis bien TOUS les pouvoirs. Il est le chef du gouvernement, le chef de l'armée, le juge suprême et même le plus grand prêtre du pays. Cet homme, c'est le pharaon. Il est également l'homme le plus riche du pays. Tout lui appartient. Les champs, les mines, les carrières. Heureusement, il prête ses terres à ses sujets !

Le roi se détend en famille.

Et le gagnant est...

Comment devient-on pharaon ? Pour hériter du trône, il faut normalement être un fils du roi, de préférence son fils aîné. Être aussi le fils de la principale femme du pharaon quand il en a plusieurs. Si jamais le roi n'a pas du tout de fils, il léguera le pouvoir à un ministre ou à un général en qui il a confiance. Une cérémonie, le couronnement, consacre le prétendant. Elle se déroule dans le temple avec des prêtres qui jouent le rôle des dieux. Ils remettent les insignes du pouvoir au souverain.

Oh ! la belle rouge !

Ne poussez pas, les couronnes ! Il y en aura pour toutes les dix ! Par ici, la blanche de la Haute-Égypte ! Au tour de la rouge de la Basse-Égypte.
Et maintenant au pschent qui les réunit toutes les deux.
Où est la bleue ? La voici. Et le némès ? Qui a vu le némès ?
Il est là avec ses rayures jaunes et bleues. Sssss....sssss…
Attention, ne mécontentez pas le cobra qui zigzague sur le devant des couronnes. C'est un faux serpent, bien sûr, mais doté de redoutables pouvoirs magiques.

1 Couronne blanche
2 Couronne rouge
3 Double couronne (pschent)
4 Couronne atef
5 Couronne bleue
6 Némès

Ramsès II (1279-1213 av. J.-C.), qui a régné 66 ans, est l'un des plus grands rois d'Égypte.

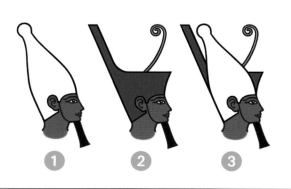 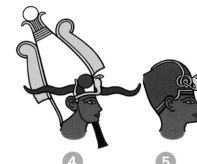 

① ② ③ ④ ⑤ ⑥

Thoutmosis III le conquérant
Le roi **Thoutmosis III** règne sur un empire qui s'étend du sud de la Syrie à la Haute-Nubie.

1437 AV. J.-C.

Changement garanti
Aménophis IV devient **Akhénaton**.
Il adore **Aton**, un dieu unique.
Du jamais vu en Égypte !

1346 AV. J.-C.

Ramsès le Magnifique
Ramsès II monte sur le trône.
Très prospère, il couvre l'Égypte et la Nubie de monuments.

1279 AV. J.-C.

Rencontrez Pharaon !

La barbe fait le roi

Au menton, le roi fixe une longue barbe droite. Elle est fausse. Les dieux aussi arborent ce postiche, mais son extrémité est recourbée. Le pharaon partage un autre attribut avec les divinités : la queue de taureau. Fixée à la ceinture du pagne, elle symbolise la force divine. Eh oui, le roi est déjà un peu un dieu sur terre. Il se transformera complètement en dieu après sa mort.

La reine, coiffée de la dépouille de vautour et d'une toque, tient un sceptre en forme de fleur.

Heureux en amour

Encore une fois, le pharaon se différencie de ses semblables qui n'épousent qu'une femme à la fois. Le roi possède une grande épouse, la reine, ainsi que des épouses secondaires et des concubines. Il engendre de nombreux enfants. Plus de cent pour le roi Ramsès II !

Mais puisque je vous dis que JE SUIS Toutânkhamon !

C'est ça, et moi je suis le roi Ramsès II !

LE SAVIEZ-VOUS ?

Il était une fois...

Déjà vu ! Déjà fait ! Khéops s'ennuie à mourir dans son palais ! Ses fils s'efforcent de le distraire. L'un d'eux convoque un magicien à la cour. L'homme se vante de recoller les têtes coupées. Rien que ça ! Curieux d'assister à l'expérience, Khéops s'apprête à lui livrer un condamné à mort. Bien que confiant dans ses capacités, le magicien refuse de prendre un homme pour cobaye. Il exécute son tour sur une oie. Dès que le magicien récite la formule magique, corps et tête séparés se mettent à marcher l'un vers l'autre et se rassemblent. Et l'oie de se dandiner et de caqueter à nouveau sous les yeux ébahis de Khéops...

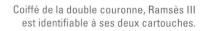

Coiffé de la double couronne, Ramsès III est identifiable à ses deux cartouches.

LE SAVIEZ-VOUS ?

Toujours à se distinguer

Pharaon ne possède pas un seul nom comme tous les Égyptiens, mais cinq ! Deux d'entre eux sont entourés d'un signe ovale : le cartouche. Ce sont ceux qu'il reçoit à la naissance et lors du couronnement. Grâce aux cartouches, vous reconnaîtrez facilement les représentations du roi.

► Il a le dernier mot

Pour gouverner, le roi s'appuie sur une fidèle équipe de ministres et de hauts fonctionnaires. Cette équipe dirigeante tient le pharaon au courant des affaires de l'Égypte. Elle lui donne des conseils, émet des avis. Mais en dernier ressort, c'est le pharaon qui tranche. Tes désirs sont des ordres, Majesté !

Bip ! Bip !

Qui court ainsi dans le palais royal ? Non, ce n'est pas le coyote pourchassant Bip Bip ! C'est le vizir. Premier personnage du pays après le roi, il est toujours pressé. Il a fort à faire pendant la journée. Il recrute les fonctionnaires et leur fait appliquer les lois décrétées par le roi. Il recueille les impôts. Il conserve le cadastre recensant les champs. Il rend aussi la justice dans le tribunal de la capitale.

Le vizir et le directeur du trésor font leur rapport au pharaon.

Compte du bétail.

Les maires des villes apportent les impôts en nature.

On reconnaît le vizir Ptahmès à sa robe attachée au cou par un ruban.

Sérieux et économes

Qui gère les finances ? Le directeur du trésor. Il fait le compte des ressources et des dépenses de l'État. Il contrôle l'entrée des matières précieuses comme l'or dans les magasins. Il est encore plus vigilant avec leur sortie. Avec qui parle-t-il ? Avec le ministre des greniers. Les deux dignitaires sont soulagés : les derniers impôts sur les récoltes sont abondants. En cas de mauvaise crue, les greniers sont pleins. La famine sera évitée. Un gros souci en moins ! Voici que s'avance vers eux le gouverneur de la Nubie. Il leur dit au revoir, car demain, il part en tournée pour plusieurs semaines dans la région qu'il administre au sud de l'Égypte.

Comme un essaim d'abeilles

Tout un personnel s'agite autour du roi. L'intendant gère ses propriétés. Un chef de la chambre l'aide à faire sa toilette et à s'habiller. L'échanson approvisionne sa table. À lui de fournir la bière et le vin qui rafraîchiront le gosier du roi. À lui de livrer les appétissantes victuailles qui réjouiront ses papilles. Ces personnages forment la Maison du roi, une branche de l'administration.

Senenmout est l'intendant de la reine Hatchepsout.

Le piston, ça ne marche pas

Ce n'est pas parce que l'on a un père ministre que l'on devient ministre. Le roi choisit les dirigeants parmi les hommes les plus compétents. Pas forcément au sein des mêmes familles. C'est une des clés de la réussite de l'Égypte ancienne. Les responsables du pays se renouvellent. Cela empêche des familles riches d'accumuler les avantages et de nuire à la bonne marche du gouvernement. Les garçons modestes qui sont intelligents et qui travaillent bien à l'école ont donc l'avenir devant eux.

Le général Horemheb reçoit les colliers de l'or de la récompense.

Le pharaon distribue des colliers, des bracelets et des coupes en or ainsi que des gants en tissu à ses serviteurs les plus fidèles.

Pas de bâton, mais des carottes

Qu'est-ce qui fait avancer les dignitaires ? Le bonheur de servir le roi. C'est exact. Mais aussi les colliers d'or et autres bijoux que le pharaon distribue par la fenêtre de son palais à ses fidèles serviteurs. Pharaon donne aussi aux grands personnages la possibilité d'aménager une belle tombe où ils couleront une paisible éternité. À ses favoris, il accorde en outre le rare privilège de déposer une statue d'eux-mêmes dans un temple. Quel intérêt ? Partager la nourriture servie aux dieux et s'alimenter pour toujours. Grâce à ces repas, leur vie future est assurée ! Merci qui ? Merci Pharaon !

Pharaon s'en va-t-en guerre

Taratata ! Taratata ! Debout sur son char, casque sur la tête, armure sur la poitrine, arc tendu, le pharaon fonce sur l'ennemi. Intrépide, il donne le signal de la charge à son armée.
Au Nouvel Empire (1540 – 1070 av. J.-C.), au fil des campagnes militaires, l'Égypte agrandit son royaume. Elle contrôle une partie de la Syrie-Palestine, au nord. Elle domine toute la Nubie, au sud.

Égyptiens à l'assaut d'une forteresse syrienne.

À mon commandement !

Le souverain ne prend la tête de l'armée que pour les grandes expéditions militaires. Peu nombreuses, elles consistent à conquérir de nouveaux territoires ou punir des rebelles.
En campagne, il consulte son état-major, formé des généraux et de ses proches conseillers. Il décide ensuite de la tactique à suivre pour la bataille. Pour le maintien de l'ordre, le pharaon confie le commandement des troupes à un général.

À gauche : Syriens tombés au combat.

À droite : Compte des mains des ennemis tués.

Un kilomètre à pied, ça use les souliers

Deux grandes armes composent l'armée égyptienne : l'infanterie et la charrerie. La première rassemble les fantassins qui se battent à pied.
Les soldats de la charrerie sont deux par char : un conducteur et un combattant. Sous le roi Ramsès II (1279 – 1213 av. J.-C.), 5 000 fantassins et 500 chars, montés par 1 000 hommes, forment une division. L'armée compte alors quatre divisions. La première obéit au pharaon, les trois autres à un général. Cette unité regroupe 20 compagnies de 250 hommes. Chaque compagnie est divisée en cinq sections de 50 soldats. Des soldats d'élite comme la garde personnelle du pharaon complètent les effectifs.

Chars égyptiens s'élançant pour enfoncer les lignes ennemies.

Soldats égyptiens armés d'une hache, d'un arc et de flèches.

Recrues ayant reçu leur ration de pains et de vivres.

On rase gratis

Les simples soldats sont recrutés parmi les fils de paysans. Arrivés à la caserne, ils passent entre les mains du coiffeur. Ils en repartent la boule à zéro comme dans beaucoup d'armées du monde. Ensuite, les officiers les entraînent à la marche, à la course et au maniement des armes. Ils apprennent le tir à l'arc, le lancer des piques, le combat au corps à corps avec hache et poignard. Pour se défendre, ils disposent d'un bouclier. Armures faites d'écailles de bronze et casques de bronze sont probablement réservés au roi, aux officiers et aux soldats d'élite. L'obéissance est de rigueur. Sur le terrain, la victoire dépend de la discipline. Gare aux fortes têtes ! Coups de bâton et exercices physiques leur remettent vite les idées en place !

Pas de boule à zéro pour moi, j'attrape facilement des rhumes. Éventuellement bien dégagé derrière les oreilles.

La reine Cléopâtre VII.

Prisonnier syrien aux mains ligotées.

LE SAVIEZ-VOUS ?

Patatras !

De vainqueurs, les Égyptiens deviennent des vaincus après le Nouvel Empire. Ils sont d'abord gouvernés par des Libyens. Ce sont d'anciens prisonniers de guerre installés par les pharaons en Égypte. Le pire est encore à venir ! Les Soudanais les soumettent et fondent même une dynastie, la XXVe (746 – 664 av. J.-C.). Arrivent ensuite les Perses qui s'emparent de l'Égypte en 525 av. J.-C. Ils céderont la place à Alexandre le Grand en 332 av. J.-C. et à une dynastie de rois et reines grecs. Celle-ci s'achève lorsque les Romains chassent Cléopâtre VII en 30 av. J.-C. L'Égypte devient alors le grenier à blé de Rome…

LA VIE QUOTIDIENNE

Les Égyptiens utilisent **le lin**, une fibre provenant d'une plante, pour confectionner leurs vêtements.

100% LIN

Pour manger, les Égyptiens ne se mettent pas autour d'une table et n'ont pas de couvert. Ils attrapent la nourriture **avec leurs mains**.

SANS CÉRÉMONIE

Les traités de médecine décrivent les symptômes de maladies et disent si le médecin peut ou non les guérir.

LE MANUEL DU MÉDECIN

Peigne et longues tuniques droites.

▶ Un corps à bichonner

Comme nos amis de l'Égypte ancienne, vous pensez que le monde appartient à ceux qui se lèvent tôt. Vous n'aurez donc pas de mal à bondir sur vos pieds dès l'apparition du soleil, très, très tôt le matin. Une fois debout, comment débuter la journée ? En faisant un brin de toilette.

Propre...

Se doucher est un luxe. Peu d'habitations possèdent une salle de bain et un bac à douche. Ni le palais royal, ni les maisons des riches personnages n'ont l'eau courante. Serviteurs et servantes versent l'eau sur celui ou celle qui se lave. Ce sont les robinets de l'époque ! Quant à la température de l'eau, elle dépend de la saison. Hélas, elle sera plutôt froide en hiver et chaude en été ! Qu'utilise-t-on en guise de savon ? Des cendres de plantes ou du natron, une sorte de sel. Les pauvres se lavent en s'aspergeant d'un peu d'eau ou en se baignant dans le Nil. La majorité des Égyptiens ne possèdent pas de toilettes. Ils se servent sans doute d'un bon vieux pot de chambre !

...et beau ou belle à la fois

Une fois lavés, hommes et femmes s'enduisent de pommades parfumées. Quelle bonne odeur ! Puis ils s'habillent. Pour les hommes : pagne, c'est-à-dire une jupe courte ou longue, et chemise avec ou sans manches. Pour les femmes : robe longue avec deux bretelles. Au fil des siècles, la mode évolue. Des plis rehaussent les vêtements. Aux pieds, on chausse des sandales de cuir ou de papyrus. Sur la tête, les riches portent une élégante perruque. Pour finir, boucles d'oreilles, bracelets, colliers et bagues rehaussent la beauté de tous. Eh oui, les hommes sont très coquets ! Bien sûr, les pauvres ignorent ces raffinements. Ils portent un pagne et une robe très simples et des sandales en papyrus. À moins qu'ils ne marchent pieds nus.

Ouh la non, elle est encore trop froide ! Je me laverai dans un mois.

Couple aux élégants vêtements plissés.

Dame prenant sa douche avec sa servante.

Les voleurs pillent les tombes royales de Thèbes pour s'emparer des bijoux en or placés sur les momies.

AU VOLEUR !

Le procès le plus retentissant juge les femmes du harem et leurs complices qui ont comploté contre le roi Ramsès III (mort en 1152 av. J.-C.) et le futur Ramsès IV.

UN COMPLOT DÉJOUÉ

Cuisinier préparant un ragoût.

Vivez comme un Égyptien !

Bon appétit !

Bien pomponnés, vous ressentez maintenant un petit creux dans l'estomac. Comme les Égyptiens, vous mangerez deux ou trois repas par jour. Vous consommerez beaucoup de pain. Pour l'accompagner, vous croquerez des légumes et des fruits beaucoup moins variés qu'aujourd'hui. Le potager produit des oignons, des laitues, des concombres, des lentilles, des fèves et des poireaux. Le verger livre du raisin, des dattes, des figues et des grenades. Viande bouillie ou rôtie et poisson frais ou séché sont aussi au menu. Naturellement, les riches s'alimentent mieux que les pauvres.

Modèle de bois figurant une boucherie avec les pièces de viande suspendues à une corde.

Tu manges quoi, toi ?

Comme d'hab', du pain avec de l'air dedans sur son lit de rien.

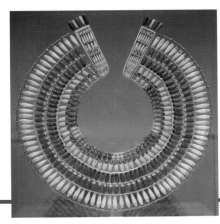

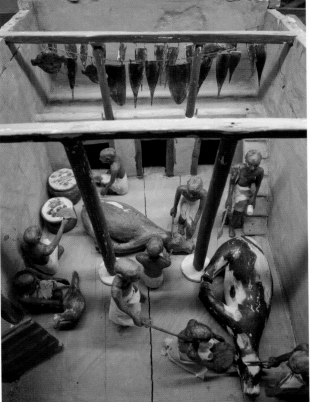

LE SAVIEZ-VOUS ?

Faites-le vous-mêmes

Voulez-vous vous déguiser en riche Égyptien ? Alors il vous faut un collier ousekh, ce qui veut dire « large ». De forme arrondie, il est constitué de plusieurs rangs de perles de couleur, en verre, en faïence ou en pierre semi-précieuse. Placez un compas au milieu d'une feuille blanche épaisse ou cartonnée. Tracez cinq cercles concentriques que vous ne fermerez pas complètement en haut. Colorez les cercles comme sur le modèle. Sur les quatre bandes, reproduisez les perles et colorez-les aussi. Découpez en suivant le contour du cercle du haut et de celui du bas. Faites une ouverture en haut et glissez le collier autour du cou.

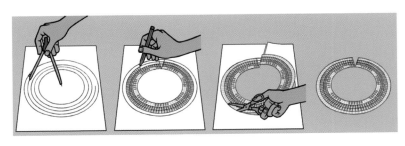

La vie n'est pas un fleuve tranquille

Soleil à gogo, champs verdoyants, tout va-t-il pour le mieux au pays des pharaons ? C'est ce que laissent croire les représentations dépeignant la vie de tous les jours dans les tombes. Hélas, l'image est trompeuse. Dans leur sépulture, les Égyptiens montrent l'existence idéale qu'ils veulent mener après la mort. Pas la réalité. Ici-bas, ils ont leur lot de soucis. Ils les racontent dans les textes. Maladies, disputes, vols, procès, rien ne leur est épargné.

Instruments de chirurgie du IIe-IIIe siècle ap. J.-C. (époque romaine).

Médecin palpant l'abdomen d'un malade.

Stèle d'Horus maîtrisant magiquement les scorpions et les serpents.

La déformation de la jambe de Roma résulte de la poliomyélite.

SOS médecins

Mieux vaut éviter de tomber malade et d'appeler le médecin. Le docte personnage s'appuie sur des ouvrages qui le guident pour établir son diagnostic. Ils décrivent les symptômes et lui disent s'il y a moyen ou non de guérir la maladie. Le praticien n'a qu'une vague idée du fonctionnement du corps. Il ne dispose pas d'instruments pour l'aider à identifier les dérèglements ou faire des analyses. Il n'a aucun moyen de savoir ce qui se passe à l'intérieur du corps. Quant aux médicaments prescrits, leur efficacité est loin d'être toujours prouvée. Au final, tout dépend de la robustesse du patient et de la gravité de la maladie... En dernier recours, il reste la magie...

Un coup de cette aiguille magique et votre joue va dégonfler !

Papyrus avec formule magique protégeant des dangers.

Au voleur !

De toute éternité, des individus ont mis la main sur le bien des autres. Dans l'Égypte ancienne, le pillage des tombes a commencé dès que les morts ont emporté quelques objets précieux. Que fait la victime d'un vol ? Elle se plaint au tribunal, formé des notables de sa communauté. Une enquête est ouverte. Des coups de bâton accélèrent parfois les aveux. L'accusé plaide lui-même sa cause, car les avocats sont inconnus. Condamné, le coupable subit un châtiment corporel comme des coups de bâton. Mais si son acte nuit aux intérêts du pharaon, il est déféré devant la cour de justice de la capitale. Aïe, aïe, aïe… Pour un meurtre, le criminel risque la peine capitale. Mais seul le roi la décrète.

Une voleuse encadrée par deux policiers est confrontée à son accusatrice.

Sekhmet, déesse à tête de lionne, envoie les maladies. Elle aide aussi à les guérir.

LE SAVIEZ-VOUS ?

L'ADN ancien peut-il parler ?

L'ADN est une molécule qui contient des informations comme notre taille ou la couleur de nos cheveux. Elles se transmettent de génération en génération. Les analyses de l'ADN des momies égyptiennes ont suscité beaucoup d'espoir. On pensait pouvoir déterminer les liens de parenté entre les momies royales. Hélas, les savants ont constaté que l'ADN ancien était pollué par les manipulations des embaumeurs, des pilleurs de tombes et des premiers fouilleurs. Aujourd'hui, les archéologues portent des masques et des gants pour protéger l'ADN lors de découvertes importantes. Mais pour les momies des rois égyptiens, il est trop tard…

C'est à moi ! Ah non, c'est à moi !

Les tribunaux traitent surtout des disputes au sujet de terrains. Les héritages conduisent souvent les membres d'une même famille devant les juges. Il existe même une querelle au sujet d'une terre qui a duré presque cent ans ! Le vizir conserve dans ses archives une copie du cadastre. Les magistrats se réfèrent à ce registre qui indique où se trouvent les terres, à qui elles appartiennent et quelles sont leurs dimensions.

Monsieur le juge, je porte plainte contre cet individu qui, à l'évidence, m'a volé tous mes poils.

Ni télé, ni ciné

Difficile pour nous d'imaginer un monde sans télévision, sans ordinateur et sans console de jeux ! Les Égyptiens n'avaient pas non plus de librairie ou de bibliothèque leur offrant des livres. Seuls les scribes avaient accès à la lecture. Ils formaient une petite minorité. Comment s'amusait-on et se changeait-on les idées au temps des pharaons ?

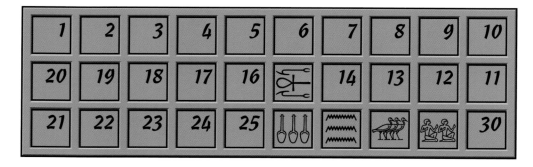

Dis, tu me prêtes tes joujoux ?

Vous ne vous vous ennuierez pas avec vos petits camarades égyptiens. Ils se feront une joie de vous prêter leurs jouets : des animaux en bois articulés, des toupies et des poupées. Si vous voulez vous dépenser, ils vous inviteront à participer à leurs jeux de plein air comme le saute-mouton. Les fillettes apprendront aux jeunes demoiselles à jongler avec leurs balles et à danser. Les plus grands et les adultes se penchent sur les plateaux de jeu. Deux adversaires s'affrontent au senet dont les règles se situent entre les dames et le jeu de l'oie.

Fabriquer votre senet

Avec une règle, dessinez un rectangle de 30 cm de longueur et de 10 cm de largeur. Tracez deux lignes dans le sens de la longueur pour le diviser en trois parties égales. Tracez neuf lignes dans le sens de la largeur pour le subdiviser en trente carrés égaux. Reproduisez les dessins sur la case 15 et les cases 26, 27, 28, 29. La 15 correspond à la Maison de la renaissance, la 26 à la Maison du bonheur, la 27 au Puits, la 28 à la Maison des Trois Justices et la 29 à la Maison de Rê-Atoum, le grand dieu solaire. Pour la règle du jeu, voir page 46. Les Égyptiens utilisaient des bâtonnets à la place d'un dé.

Crocodile à la mâchoire articulée. Jeu de senet et bâtonnets remplaçant les dés.

Musiciennes et chanteuses dont deux sont figurées de face.

Quand la musique est bonne

Riches ou pauvres raffolent de la musique. Les plus fortunés réunissent des orchestres de musiciens ou de musiciennes. Ils jouent de la flûte, de la clarinette, de la harpe, de la lyre, du luth, du tambourin. Tambour et trompette sonnent la charge sur le champ de bataille. Ils ne charment pas les oreilles des convives. Des claquoirs, frappés l'un contre l'autre, donnent le rythme aux chanteurs et chanteuses. Dans leur temple ou en promenade, dieux et déesses apprécient également la musique. Ils goûtent surtout le cliquètement des tiges métalliques du sistre. De graciles danseuses animent tout banquet digne de ce nom. Très légèrement vêtues, elles égaient un public grisé par la bière et le vin.

Joueuses de luth et de double flûte.

Nebamon chasse au bâton de jet dans les marais avec sa famille.

Harpe.

Danseuses animant un banquet.

Chasse, pêche et distraction

Travail pour les pauvres, la chasse et la pêche sont un délassement pour les riches. C'est un passe-temps familial. À bord d'une barque en papyrus, père, mère et enfants sillonnent les marais. Le père se met en quête de poissons à harponner et de canards à abattre avec son bâton de jet, habilement lancé. Les moins aventureux s'installent confortablement sur un siège au bord du bassin de leur résidence. Ils taquinent le poisson avec une corde et un hameçon. Les dignitaires les plus intrépides chassent les gazelles, les lièvres et les autres animaux du désert. Sur leur char, ils foncent sur le gibier qu'ils visent de leurs flèches.

VÉNÉRER LES DIEUX

Pour mater les hommes révoltés, le **dieu Rê** leur envoie sa fille, une redoutable lionne.

RAPPEL À L'ORDRE

Horus se bat avec son oncle **Seth** pour reprendre le trône d'**Osiris** dont il est l'héritier légitime.

UN DUEL SANS PITIÉ

Le **dieu Ptah** porte la barbe royale. Mais on ne peut pas le confondre avec le pharaon parce qu'il a une coiffure différente : un bonnet très serré.

PAS DE RISQUE D'ERREUR

▶ Il est né le soleil

Qui a créé l'univers ? Qui a façonné les hommes, les animaux et les plantes ? Comment ont surgi les montagnes ? Voilà des questions que les Égyptiens se sont posées bien avant nous. Ils y ont répondu en imaginant des histoires. Tous ces récits nagent dans un océan mystérieux…

Glouglou

Une immense étendue d'eau mêlée de terre. Une eau obscure dont on ignore les dimensions et la profondeur. Les Égyptiens l'appellent le Noun. Voilà ce qu'il y avait au commencement. Avec quand même un petit plus : dans le liquide flotte un dieu, mais il ignore qu'il est là. Soudain, tout s'emballe. Le dieu s'éveille. Il a pour nom Atoum et il représente le soleil. Finie la baignade ! Le moment est venu de prendre l'air. Atoum jaillit de l'océan. De son souffle brûlant, il assèche de la boue. Une colline se forme.

Atoum, incarnation du soleil, émerge de l'eau pour créer la première colline de terre.

Atoum

Un crachat ? Oui, mais divin

Seul sur la terre, le soleil n'entend pas le rester. Il lance un crachat d'où sortent Chou, le dieu de l'air et Tefnout, déesse de la chaleur solaire. D'après une autre version de l'histoire, les enfants seraient nés de son sperme. Frère et sœur en même temps que mari et femme, Chou et Tefnout ont le goût de l'aventure. Ils partent en exploration. Leur père les croit perdus. Quand il les retrouve, il pleure de joie. De ses larmes sortent les hommes.

LE SAVIEZ-VOUS ?

Les pierres du soleil

Pour honorer le soleil dans les temples, les Égyptiens dressent de gigantesques pierres. Moqueurs, les anciens Grecs leur ont donné le nom d'obélisques, ce qui veut dire « brochette » dans leur langue. Les obélisques sont taillés dans un seul bloc de granit. Ils sont généralement dressés par paire devant l'entrée des temples. Ce ne sont pas de simples pierres. Ils représentent la première colline qui est sortie du Noun. Ils symbolisent aussi un rayon de soleil. Admirés et convoités, beaucoup d'obélisques partent en exil à Rome, Istanbul, Paris, Londres et New York.

HELP!

*La statue en **or** des dieux était conservée dans le sanctuaire. Aucune ne nous est parvenue. Très coûteuses, ces effigies ont toutes été volées.*

*Au Vᵉ siècle de notre ère, Philae, le temple de la **déesse Isis**, est le dernier sanctuaire païen d'Égypte à fermer.*

Honorez les dieux !

Et ainsi de suite...

Le couple engendre deux autres divinités : Geb, la terre, et Nout, le ciel. Collés l'un à l'autre à la naissance, ils sont séparés par leur père, l'air, qui navigue entre les deux. En soulevant son corps pour rejoindre son épouse, le dieu Geb fait pousser les montagnes.

Geb et Nout conçoivent quatre enfants. Osiris, roi sur la terre, apprend aux hommes à cultiver les champs. Seth, dieu des déserts, fou de jalousie de son aîné, l'assassine. Ranimé après moult péripéties, Osiris règne désormais sur le royaume des morts. Isis et Nephtys sont à la fois les sœurs et les épouses des deux frères. Osiris et Isis ont un fils, Horus, protecteur de tous les rois.

Geb, dieu de la terre, tente de rejoindre son épouse Nout, la déesse du ciel. Chou, dieu de l'air, les sépare.

Son cœur l'a fait, sa langue l'a dit

Ptah aussi est sorti du Noun. Plus réfléchi qu'Atoum, le dieu est un vrai intello. Pour créer les hommes, les oiseaux, les arbres, il les invente d'abord dans son cœur. Petite précision : pour les Égyptiens, le cœur joue le rôle du cerveau. Comme on l'a dit précédemment, ils ne comprennent pas bien le fonctionnement du corps… C'est donc le cœur qui pense. Ensuite, Ptah prononce le nom des êtres et des choses qu'il veut faire exister. Ce n'est pas plus compliqué !

Nephtys   Isis   Seth   Osiris

▶ Ils en font une tête

Bizarre, bizarre… Qui sont donc ces créatures qui défilent à longueur de murs de temples avec un corps d'homme ou de femme et une tête d'animal ? Faucon, singe, bélier, chien, lionne, chatte, serpent ou vache : ce sont les dieux et les déesses. Le panthéon égyptien revêt l'allure d'un véritable zoo !

Qui fait le dieu fait la bête

N'allez pas croire que les Égyptiens font des courbettes devant les animaux. Pour rendre le culte à leurs dieux, ils ont besoin de les représenter. Mais quel aspect leur donner ?
À la fin de la Préhistoire, ils choisissent de les montrer sous la forme de l'animal qui correspond le mieux à leur caractère. Ainsi, le calme ibis illustre la sagesse de Thot, dieu de l'écriture. La vache débonnaire incarne la douceur d'Hathor, déesse de l'amour. De toute manière, il ne s'agit que d'une enveloppe. Les dieux égyptiens cachent soigneusement leur vraie forme et leur vrai nom. S'ils les révélaient, leurs ennemis pourraient déchaîner la magie contre eux et les détruire. Horreur…
Cela sonnerait la fin du monde.

Qui a vu ma coiffure ?

Certains dieux sont entièrement des hommes, comme Atoum, le soleil créateur de l'univers.
Qu'ils soient homme ou mi-homme, mi-animal, les dieux se parent d'une coiffure. Elles aident à les reconnaître. Atoum et Horus portent la double couronne du Sud et du Nord comme le pharaon.
Mais sans le cobra royal. Comme ils n'ont pas la même tête, on ne peut pas les confondre. Les dieux à tête humaine arborent une barbe à l'extrémité recourbée.

Atoum   Horus

Khonsou
Dieu de la lune,
fils d'Amon et Mout

Mout
Épouse d'Amon

Amon
Chef des dieux

Bès
Dieu protecteur du foyer

La mode ? Connais pas !

Les divinités méprisent la mode. Les dieux portent toujours le même vieux pagne court. Au-dessus, ils revêtent parfois un corselet fait de plumes d'oiseau. À la ceinture, ils accrochent une queue de taureau, symbole de leur puissance. Les déesses adoptent une robe à bretelles longue et moulante. Tous se parent de beaux bijoux. À la main, dieux et déesses tiennent un sceptre, emblème de leur pouvoir. Ils serrent aussi le signe de la vie qu'ils donnent au roi. À lui seulement.

En mission sur terre

Les divinités fourmillent en Égypte. Mais toutes n'ont pas l'honneur des grands temples. Loin de là. Seules les principales divinités président aux cérémonies qui se déroulent dans ces sanctuaires. Elles remplissent d'importantes missions. Les dieux créateurs du monde comme Atoum et Ptah continuent à le faire fonctionner. Khnoum veille sur la crue du Nil au sud de l'Égypte. Osiris règne sur les morts. Hathor préside à l'amour, à la musique et à la danse. Thot est le dieu de la sagesse et le vizir du dieu solaire, Séchat la déesse de l'écriture…

Chou, le dieu de l'air, porte un costume de plumes et la queue de taureau.

JE SUIS ANUBIS, DIEU DE LA MORT !

Oh ça va, Bernard, on t'a reconnu. Tu peux enlever ton masque.

Thouéris
Protectrice des femmes et des enfants

Sekhmet
Déesse dangereuse, épouse de Ptah

Sobek
Règne sur les eaux du Nil

Khnoum
Lâche la crue qui fertilise les champs

Hathor
Déesse de l'amour, la musique et la danse

Si tu me donnes, je te donne

Où habitent les dieux ? Dans le ciel où ils s'aiment, se jalousent, se disputent et se réconcilient, comme les hommes. Ils vivent aussi sur terre, par l'intermédiaire de leur esprit. Cette force réside dans une statue en or que les Égyptiens façonnent à l'image de la divinité. Où la placent-ils ? Au fond du temple. Ce monument est considéré comme la maison du dieu auquel il est voué.

Dromos bordé de sphinx et pylône du temple de Louqsor.

Entrée interdite

Le temple n'admet que le roi et les prêtres. On ne vient pas y prier comme dans une église ou une mosquée. Mais faisons une exception pour vous. En route ! Là, vous marchez sur une allée protégée par des sphinx, statues du pharaon avec un corps d'animal et une tête d'homme. C'est le dromos. Il vous mène au pylône, une porte d'entrée colossale formée de deux tours aux murs en pente, et souvent précédée d'obélisques. Derrière, sur l'axe central, vous traversez une cour, une salle à colonnes (l'hypostyle), une pièce pour la barque portative et une salle réservée aux offrandes alimentaires. Sur les côtés, jetez un œil aux magasins gardant les instruments du culte et les chapelles des divinités, amies du propriétaire des lieux.

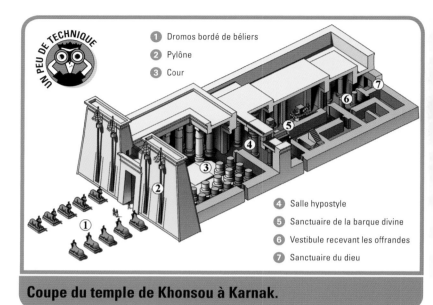

UN PEU DE TECHNIQUE

1 Dromos bordé de béliers
2 Pylône
3 Cour
4 Salle hypostyle
5 Sanctuaire de la barque divine
6 Vestibule recevant les offrandes
7 Sanctuaire du dieu

Coupe du temple de Khonsou à Karnak.

Statuette d'Horus en bronze.

Top secret

Et voilà. Nous avons atteint le fond du monument. Faites-vous aussi discret qu'une petite souris pour vous glisser dans sa pièce la plus secrète : le sanctuaire. Que distinguez-vous ? Une petite chapelle ? C'est le naos qui contient la statue du dieu. Observons maintenant ce qui se passe tous les jours. À l'aube, le grand prêtre vient rendre le culte à la place du roi. Il entre dans la pièce toute noire, une torche à la main. Il referme rapidement la porte. Il frappe ensuite sur le naos pour réveiller l'esprit du dieu. Puis il ouvre les vantaux, juste au moment où le soleil se lève. « Éveille-toi, éveille-toi en paix ! », dit-il au dieu. À l'extérieur du sanctuaire, un chœur de prêtres chante des prières.

Le roi Séthi Ier ouvre la chapelle abritant la statue du dieu Horus.

Encensoir en forme de bras avec coupe à encens.

À table !

e prêtre quitte brièvement la pièce pour rapporter un choix de victuailles et de boissons.
n même temps que le repas, il présente à la statue la figurine de Maât. C'est la déesse de
ordre du monde. Avec cette offrande, il demande au dieu de continuer à faire régner l'ordre
n Égypte. C'est donnant, donnant. Les hommes apportent aux dieux la nourriture dont ils ont
esoin pour subsister. En échange, les dieux aident le roi à bien gouverner, le pays à prospérer.

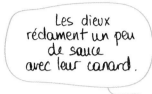

Les dieux réclament un peu de sauce avec leur canard.

Prêtres portant la barque de Khonsou.

Pharaon offrant la figurine de Maât.

Il était un petit navire...

Ne croyez pas que les dieux s'ennuient. Au contraire, ce sont de vrais fêtards. Leur
emploi du temps est très chargé. Il regorge de fêtes. Certaines conduisent le dieu hors
de son temple. Une de ses statues prend alors place dans une barque. Pas un bateau
qui va sur l'eau, mais qui se pose sur les épaules des prêtres. Pour naviguer sur le Nil,
ce faux esquif prend place à bord d'un vrai navire. Postée sur le trajet de la procession,
la foule, en liesse, acclame sa divinité. Une fois parvenue dans le sanctuaire auquel elle
rend visite, la statue participe à des cérémonies religieuses. Puis elle rentre à la maison.

Chers voisins, nous organisons ce soir une petite fête avec quelques amis. Veuillez nous excuser pour la gêne occasionnée.
Thot, Horus et Hathor

ENCORE !!! c'est la 3e fois ce mois-ci. Si ça continue, je vous chasse du temple.
le gardien

Miam, miam

Jne question vous taraude. Mais comment font les
lieux pour manger ? Leur esprit consomme l'énergie
les mets. Ni vu, ni connu. C'est pourquoi les aliments
estent intacts. Ils font ensuite le bonheur, bien réel,
le l'estomac des prêtres.

Ramsès III offrant de l'encens et de l'eau au dieu Geb.

LA MORT ET L'AU-DELÀ

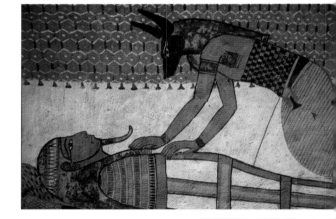

À tâtons
Les habitants de **Hiérakonpolis**, en Haute-Égypte, font les premières expériences de **momification**.

3500 AV. J.-C.

Il l'a inventée
Le roi **Djéser** entreprend la construction de la **première pyramide.**

2670 AV. J.-C.

Un livre pour renaître
Le **Livre de l'Amdouat**, *qui décrit le voyag[e]* nocturne du soleil, apparaît pour la premiè[re] fois dans la tombe de la reine **Hatchepsou[t]**

1460 AV. J.-C.

▶ Momies, mode d'emploi

Les Égyptiens aiment-ils la vie ? Oh que oui ! Ils la croquent à pleines dents, car ils savent qu'elle sera brève. Les plus riches se hâtent de prévoir leur séjour éternel dans l'au-delà. Le pharaon s'y prépare aussi dès son accession au trône. Tombe et équipement funéraire, tout doit être prêt à accueillir la dépouille le jour venu. Pas un simple cadavre, mais un corps que les mains expertes des embaumeurs auront transformé en momie.

Anubis, dieu de la momificatio[n] confectionne une momi[e]

Pas de temps à perdre

Dès qu'un grand personnage décède, la famille le remet aux embaumeurs, spécialistes de la momification. Ils traiteront le corps le plus rapidement possible pour conserver au mieux son apparence. Ces hommes sont des prêtres, identifiables à leur crâne rasé. La momification, qui engage la vie éternelle du mort, est une affaire religieuse. Elle est placée sous la protection du dieu Anubis. Durant toute l'opération, des recueils sacrés guident les officiants.

Atelier des embaumeurs

Vidé comme une volaille

Dans un atelier dressé dans le cimetière ou sous une tente montée près de la tombe, les embaumeurs disposent le corps sur un lit. Aux quatre angles de la couche, des têtes et des pattes de lion sculptées montent la garde. Les prêtres lavent et épilent le cadavre. Ils laissent s'écouler le cerveau par le nez ou par un orifice percé à la base du crâne. Ils incisent le ventre pour enlever les viscères, foie, estomac, intestins et poumons. Après avoir traité les organes à part, ils les déposent dans quatre vases, les canopes, gardés par des génies.

Vases canopes protégés par quatre génies.

Nid de momies
Des pilleurs modernes découvrent
la cachette des momies royales du Nouvel
Empire à **Deir el-Bahari**.

1881

Le pharaon prend l'avion
La momie de **Ramsès** II arrive à Paris
pour être traitée. Elle est reçue avec les honneurs
rendus aux chefs d'État.

1976

Ils ont prévu de renaître

Barque transportant
une momie.

Salé comme un poisson

Les embaumeurs nettoient bien la cavité abdominale
avant de la remplir de sachets de natron. Ils
recouvrent ensuite tout le corps de cette sorte
de sel. Le natron dessèche lentement les chairs
pendant 40 jours. Ce délai écoulé, le corps n'a plus
que la peau sur les os. Mais une peau bien préservée.
Des tissus rembourrent la momie qui reprend une
forme humaine.

LE SAVIEZ-VOUS ?

Vous y croyez, vous, à la malédiction ?

Impossible de le nier ! Ces bonnes
vieilles momies nous font frissonner.
Les mieux conservées donnent
l'impression qu'elles sont sur le point
de se lever et de marcher... Cela n'a,
bien sûr, pas échappé aux romanciers.
Au XIXe siècle, ils ont imaginé qu'elles
revenaient à la vie. De là à penser
qu'elles pouvaient se venger de les
avoir déterrées, il n'y avait qu'un pas
que certains ont franchi. Les marins,
par exemple, ont longtemps refusé de
transporter des momies d'Égypte en
Europe. S'ils trouvaient une momie
dans leur navire, ils la jetaient aussitôt
par-dessus bord ! On a vite accusé les
momies de tous les maux. Accidents,
incendies, explosions ne seraient
que quelques-uns de leurs méfaits...
Aujourd'hui, on sait bien que c'est du
roman... ou du cinéma !

Emmailloté comme un nourrisson

Satisfaits de leur travail, les prêtres
procèdent à l'emmaillotage de la momie.
Avec des bandes de tissu, ils enveloppent
séparément ses doigts et ses orteils, puis
ses jambes, ses bras, sa tête et son tronc.
Ici et là, ils glissent des amulettes, des
petits objets protecteurs. Pour finir, ils
recouvrent la momie d'un ou plusieurs
linceuls (grands tissus). Ils posent un
beau masque sur la tête. Ne reste plus
qu'à allonger la momie dans son cercueil
et à la rendre à la famille. La voilà parée
pour renaître. Au total, la momification
a duré 70 jours.

Soyez indulgents,
c'est ma
première momie...

Momie
e femme
gée avec
ncision dans
abdomen
our retirer
s viscères.

Des bosses et des trous

Voici venu le moment d'enterrer la momie dans son tombeau. Le pharaon, qui s'entête à ne rien faire comme tout le monde, se dote d'une tombe spectaculaire. Gigantesque bosse montant vers le ciel ou énorme trou dans le sol, les rois ne reculent devant aucun obstacle pour assurer leur vie éternelle. Ils installent d'abord leurs tombes dans la région de Memphis au nord, puis dans la Vallée des Rois, aujourd'hui à Louqsor, au sud.

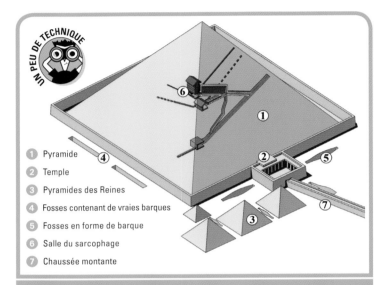

UN PEU DE TECHNIQUE

1. Pyramide
2. Temple
3. Pyramides des Reines
4. Fosses contenant de vraies barques
5. Fosses en forme de barque
6. Salle du sarcophage
7. Chaussée montante

Coupe de la pyramide de Khéops.

La pyramide, c'est du gâteau !

Pendant mille ans, les rois ont été inhumés dans une pyramide. Ce monument possède quatre faces triangulaires égales qui se rejoignent au sommet. Pourquoi « pyramide » ? Parce que sa forme rappelait aux malicieux voyageurs grecs de l'Antiquité un gâteau, appelé « pyramis ». Des dizaines de milliers d'ouvriers sont mobilisés pour la construire. Pas des esclaves, mais des hommes libres. Ils hissent les blocs sur des rampes et des échafaudages en brique de terre crue. Le hic, c'est qu'on ignore encore quelle était la forme de ces rampes…

Attention, merveille !

Le roi Khéops, qui règne vers 2570 av. J.-C., bâtit la pyramide la plus impressionnante. Avec 147 mètres à l'origine, elle détient le record mondial de hauteur pendant presque 4 000 ans. À l'intérieur, des couloirs mènent à la salle du sarcophage fermée par des herses de granit après l'enterrement. C'est là qu'a reposé la précieuse dépouille du roi, entourée de ses biens. Jusqu'à ce que les voleurs vident complètement la pyramide de ses trésors. Le monument est la seule des sept merveilles du monde antique encore debout.

De droite à gauche : pyramides de Khéops, Khéphren, Mykérinos et pyramides de reine à Guiza.

Terminus, le roi descend

Des ouvriers spécialisés creusent la roche dans la Vallée des Rois. Ils aménagent un hypogée qui a la forme d'un couloir qui s'enfonce sous terre. La galerie débouche sur la salle du sarcophage, bien cachée. Sur les murs de la sépulture, des artistes reproduisent de grands papyrus. Ces livres relatent par le texte et l'image le voyage du roi qui se prend pour le soleil.

Hathor donne le souffle de vie à Thoutmosis IV.

Vallée des Rois : entrée de la tombe de Ramsès VI, derrière le tombeau de Toutankhamon et coupe de la tombe de Séthi Ier.

Salle du sarcophage

Le... retour de la momie !!!

Non, le retour de la mamie.

Le dieu solaire, à tête de bélier, dans sa barque.

Un vaisseau dans le ciel

Tout mort qu'il est, pharaon – ou plutôt son esprit – a la bougeotte. En effet, la momie reste bien calée dans son cercueil, sauf dans les films d'horreur... Mais l'esprit se promène. Il escalade la pyramide qu'il considère comme une échelle. Et le voici au ciel. Que vient-il y faire ? Il prend place à bord d'une barque pour naviguer en compagnie de Rê, une forme du dieu du soleil. Quand il a faim, il retourne sur terre. Il mange les offrandes que les prêtres lui servent dans le temple accolé à la pyramide.

Voyage au bout de la nuit

Dans les tombes de la Vallée des Rois, le dieu solaire quitte le ciel à la fin du jour pour traverser le monde souterrain. Toujours en barque, son périple nocturne dure douze heures. Hélas, pas question de goûter les charmes de la croisière. Monstres et mauvais génies s'emploient à la gâcher. De vraies pestes ! Le plus méchant est Apophis. Ce gigantesque serpent boit l'eau devant la barque solaire pour qu'elle s'échoue et que le soleil s'arrête. Heureusement, les amis de Rê et du roi repoussent ces mesquines tentatives. Tous les matins, le soleil renaît à l'horizon. Le roi aussi. Le monde est sauvé. Et la vie éternelle du roi, garantie.

Le grand chat d'Héliopolis poignarde Apophis.

Suivez le guide

Les dignitaires entendent aussi passer l'éternité dans une belle demeure. Toutefois, leurs tombes sont beaucoup plus modestes que les pyramides ou les hypogées des rois. Et les pauvres, que deviennent-ils après la mort ? Un trou dans le sable pour déposer le corps non momifié, une poterie, et hop ! Le tour est joué.

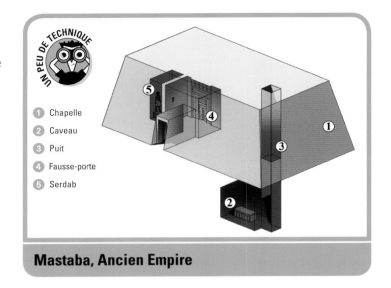

UN PEU DE TECHNIQUE

1 Chapelle
2 Caveau
3 Puit
4 Fausse-porte
5 Serdab

Mastaba, Ancien Empire

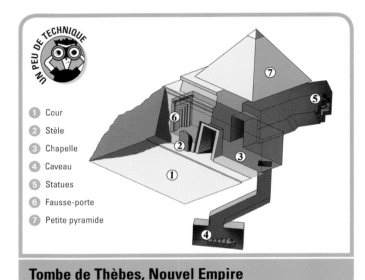

UN PEU DE TECHNIQUE

1 Cour
2 Stèle
3 Chapelle
4 Caveau
5 Statues
6 Fausse-porte
7 Petite pyramide

Tombe de Thèbes, Nouvel Empire

Niveau haut, niveau bas

Quel que soit le modèle choisi, mastaba ou hypogée (tombeau entièrement creusé dans le sol), la tombe des riches particuliers se compose de deux parties. Elle comprend le caveau souterrain, accessible par un puits profond. Au-dessus du caveau s'élève la chapelle. Richement décorée, elle abrite le culte rendu au mort. Les vivants y apportent les offrandes, y récitent des prières. D'ailleurs, si vous passez près d'une statue d'Égyptien, n'hésitez pas à déclamer celle de l'encadré.

Magique herminette

Dès qu'elle a récupéré la momie auprès des embaumeurs, la famille procède aux funérailles. Parents, amis et serviteurs chargés du mobilier funéraire escortent le mort. Dans la cour de la tombe, le fils aîné joue le prêtre. Il accomplit la cérémonie de l'Ouverture de la Bouche. Avec une herminette en bois (copie d'un outil de menuisier), il touche le cercueil à la hauteur de la bouche et du nez. Grâce à ce rite magique, le défunt pourra respirer et s'alimenter dans l'au-delà.

Détail d'un sarcophage en bois.

Herminette de bois

Prêtre effectuant l'Ouverture de la Bouche sur le cercueil

Le moment de vérité

Une fois le cercueil dans le caveau, le puits rebouché par des déblais, le mort est convoqué dans le tribunal d'Osiris, le dieu des morts. Il s'arrête devant une balance. Sur un plateau trône son cœur, sur l'autre, une plume ou une figurine de femme. Siège de l'intelligence, le cœur est confronté à Maât, la Vérité. Il rend compte de ses actions passées. Thot, le dieu de la sagesse, annonce le verdict. Si les deux plateaux s'équilibrent, ouf ! Le mort entre dans le paradis d'Osiris. Mais si le cœur, lourd de méchanceté, fait chuter le plateau, il sert de casse-croûte à la Grande Dévorante, un horrible monstre.

Pesée du cœur d'Hounéfer en présence d'Anubis, Thot et de la Grande Dévorante.

Ba balladeur, ka mangeur

Devant le défunt s'étend maintenant l'éternité. Le *Livre des Morts*, inscrit sur un rouleau de papyrus, lui donne le mode d'emploi de sa nouvelle existence. Il explique au ba, esprit figuré comme un oiseau à tête humaine, comment sortir du caveau. Comment se promener dehors et respirer, de toute la force de ses petits poumons, l'enchanteresse brise du Nil. Le soir, le ba retourne sagement sur la momie. Le *Livre des Morts* guide aussi le ka, double invisible de l'individu, chargé d'énergie. Il lui indique comment s'alimenter. C'est le ka qui nourrit le défunt, qui le maintient en vie dans l'au-delà.

Le ka de Qar sort du caveau et se met à table dans la chapelle de la tombe.

Ba   Ka

Faites-leur plaisir, ça ne coûte rien

L'appel aux vivants s'adresse à vous, visiteur de musée ou de tombe. Le défunt vous supplie de réciter cette formule qui donnera à boire et à manger à son ka : « Fasse le roi que s'apaise Osiris afin qu'il donne une offrande consistant en un millier de pains, de mesures de bière, un millier de bovins et d'oiseaux et un millier de toutes bonne choses au ka de… », suit le nom du personnage. La formule d'offrandes est inscrite sous les pieds de Pentchény.

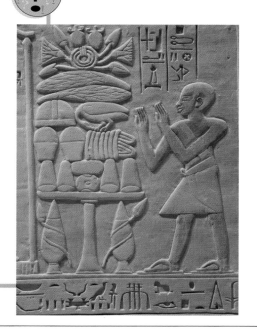

LE SAVIEZ-VOUS ?

Alors, comment ça marche ?

INDEX

Crédits photos

Toutes les photographies sont © Florence Maruéjol.

Code : m = milieu ; h = haut ; b = bas ; d = droite ; g = gauche.

Musées

Neues Museum, Berlin : Dépliant : Barque, Statue de dignitaire ; P 13 md, P21 h, P23 h, P25 hg, P30 mg ; **Altes Museum, Berlin** : P25 bd ; **Musée du Caire** : Dépliant : Statuette de Khéops, Masque de Toutankhamon (également P9 mg) ; P14 h, P40 m ; **Metropolitan Museum of Art, New York** : Dépliant : Montouhotep II, Diadème ; P11 bg et bd, P12 h, P13 b, P17 hg, P19 b, P24 mg, P27 m et b, P30 md ; **Musée du Louvre, Paris** : Dépliant : Triade d'Osorkon ; P7 b, P8 h, P11 m, P14 mg et b, P15 b, P16 b, P17 hd, P17 md, P18 m, P18 h, P22 d, P25 bg, P26 hg, P28 hd, P28 b, P29, P33, P36 m, P37 h, P37 md, P38 b, P41 md, P42 hd, P43 b ; **British Museum, Londres** : P7 m, P9 h, P12 md, P14 md, P15 m, P19 m, P22 m, P26 bg, P30 b, P31 hg, hd, mg et md, P39 h et b, P43 h ; **Musée de Grenoble** : P9 md ; **Musée de l'Oriental Institute of the University of Chicago** : P10 h ; **Brooklyn Museum, New York** : P12 mg ; **Musée égyptien de Turin** : P20 ; **Rijksmuseum van Oudheden**, Leyde : P23 m ; **Musée national du Danemark, Copenhague** : P26 hd, P42 g ; **Ny Carlsberg Glyptotek, Copenhague** : P28 m.

Sites

Moalla : Dépliant : Tombe d'Ankhtifi ; **Guiza** : Dépliant : Pyramides de Guiza ; P40 b, P43 m, **Karnak** : Dépliant : Temple de Karnak ; P16 hg et hd, P36 h, P37 mg ; **Louqsor** : Dépliant : Allée de sphinx ; **Philae** : Dépliant : Temple de l'île de Philae ; **Rive ouest de Louqsor** : P5 ; P43 bd ; **Nécropole thébaine** : P6, P11 h, P12 b, P13 h et mg, P18 h, P22 g, P25 hd ; **Kom el-Hettan** : P8-9 ; **Ramesseum** : P17 b, P24 h ; **Vallée des Reines** : P21 bd, P35, P37 b, P41 h et mg ; **Amarna** : P10 b ; **Kom Ombo** : P17 mg, P28 hg ; **Deir el-Médineh** : P18 b, P38 h, P41 b ; **Abydos** : P21 bg, P36 b ; **Médinet Habou** : P24 md.

Règle du jeu de senet

Prenez deux séries différentes de sept pions comme les pions noirs et blancs du jeu de dames. Placez-les sur les quatorze premières cases du plateau que vous avez dessiné. Faites alterner les blancs et les noirs. Jetez un dé et faites avancer le premier de vos pions d'autant de cases. Il y a un seul pion par case. Un pion ne peut passer au-dessus d'un autre. Si la case est occupée par un pion adverse, prenez la place qu'il vient de quitter. S'il s'agit d'un de vos propres pions et que vous ne pouvez pas en bouger un autre, passez votre tour. Pour les cases 27, 28, 29 et 30, vous passerez aussi votre tour en attendant qu'elles se libèrent, à moins que vous puissiez avancer un autre pion.

Si vous faites un 6, rejouez. Chaque pion doit s'arrêter à la case 26. Elle permet ensuite de rejouer. Si l'on fait ensuite un 5, on peut sortir directement le pion du plateau. La case 27 oblige le pion à retourner à la case 15. Si elle est prise par un pion, il s'y rendra dès qu'elle sera vide. Les cases 28 et 29 obligent à faire le chiffre correspondant au nombre de cases les séparant de la sortie : 3 pour la 28, 2 pour la 29. Le gagnant est celui qui sort tous ses pions le premier.

Éditions Gründ, 60 rue Mazarine, 75006 Paris

Maquette intérieure : Mélissa Chalot

Maquette de couverture : Karine Dubuc

Loi N° 49-956 du 16 juillet 1949 sur les publications destinées
à la jeunesse, modifiée par la loi N°2011-525 du 17 mai 2011.

ISBN : 978-2-324-00543-5

Dépôt légal : août 2013

Imprimé en Italie